W9-CEP-449

Ana cultiva manzanas

Apple Farmer Annie

·Ana cultiva manzanas·

Apple Farmer Annie

POR MONICA WELLINGTON

Dutton Children's Books · New York

LIBRARY OF CONGRESS CATALOGING-IN-PUBLICATION DATA

Wellington, Monica.
Apple farmer Annie / by Monica Wellington.—1st ed. p. cm.
Summary: Annie the apple farmer saves her most beautiful apples
to sell fresh at the farmers' market.
ISBN: 0-525-47252-5 (bilingual edition) 0-525-46727-0 (English edition)
0-525-47595-8 (special markets)
[1.Apple growers—Fiction. 2. Apples—Fiction.
3. Farmers' markets—Fiction.] I. Title
PZ7.W4576 Ap 2001 [E]—dc21 00-046203

This bilingual edition published in the United States 2004 by Dutton Children's Books,
a division of Penguin Young Readers Group
345 Hudson Street, New York, New York 10014
www.penguin.com

Spanish translation by Eida de la Vega
Designed by Susan Livingston
Manufactured in China

1 3 5 7 9 10 8 6 4 2

· Para ·

Barbara, Jonathan,

Emily, Elizabeth

y Alexander

For Barbara, Jonathan, Emily,
Elizabeth, and Alexander

Ana cultiva manzanas. Tiene un huerto grande lleno de manzanos.

Annie is an apple farmer. She has a big orchard of apple trees.

Annie's
PPLES

Durante el otoño, recoge cestas y cestas de manzanas redondas y maduras.

In the fall, she picks baskets and baskets of round, ripe apples.

Ana cultiva muchas
clases de manzanas.
Las separa y las organiza.

She grows many kinds of apples.
She sorts and organizes them.

7591

Ana usa algunas manzanas para hacer dulce sidra de manzana.

Annie uses some of the apples to make sweet apple cider.

APPLE
CIDER
APPLE
CIDER

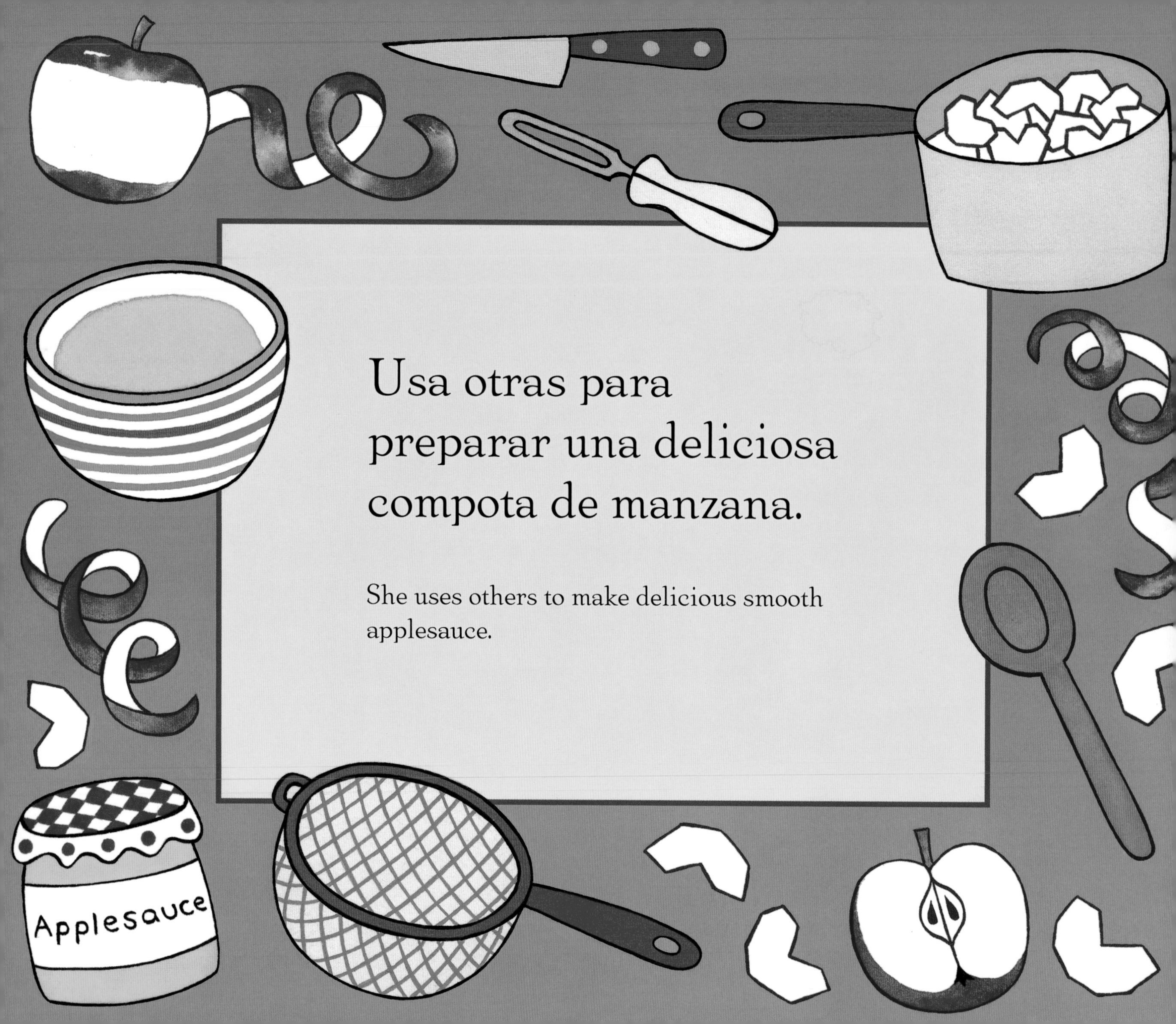

Usa otras para preparar una deliciosa compota de manzana.

She uses others to make delicious smooth applesauce.

Applesauce
Applesauce
Applesauce

Le encanta hornear panecillos dulces, tartas y pasteles con las manzanas.

She loves baking muffins, cakes, and pies with her apples.

FLOUR
SUGAR
Butter
Salt
Baking Soda

Pero guarda las más
hermosas para
venderlas en
el mercado.

But she saves the most beautiful
ones of all to sell fresh at the market.

Annie's
AP
ES
7591

Coloca las cajas
en el camión y conduce
hasta la ciudad.

She loads everything into her truck and
drives to the city.

Annie's
APPLES

Ana monta su puesto en el mercado de los granjeros.

Annie the apple farmer sets up her stand in the farmers' market.

Annie's APPLES

Muchos clientes visitan el puesto de Ana. Ella está ocupada todo el día.

Lots of customers come to Annie's stand. She is busy all day long.

APPLES
McIntosh Apples
APPLE CIDER
Applesauce CAKE

5 o'clock
CLOSING
TIME

Al final del día,
lo ha vendido todo.
Recoge las cosas
para regresar a casa.

By the end of the day, she has sold everything. She packs up to go home.

Annie's
APPLES
7591
$

Ana está cansada pero contenta. Es tan agradable tener un huerto de manzanas.

Annie is tired but happy. It feels so good to have her own apple farm.

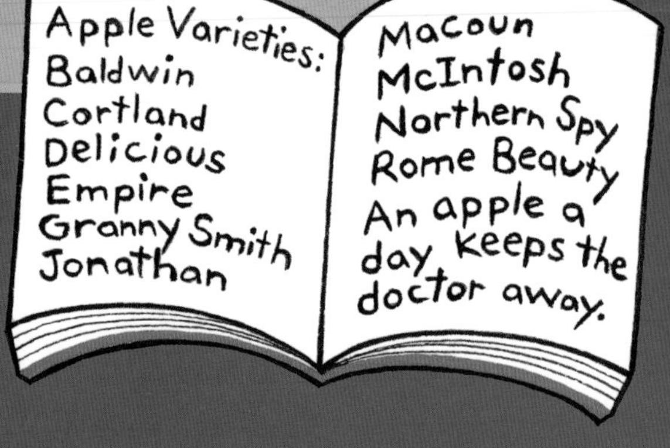

Palabras en el arte
Words in the art

Annie's Apples — Las manzanas de Ana
Apple Cider 1 pint — Sidra de manzana 1 pinta
Apple Cider 1 quart — Sidra de manzana 1 cuarto de galón
Applesauce — Compota de manzana
Sugar — Azúcar
Butter — Mantequilla
Flour — Harina
Salt — Sal
Baking Soda — Polvo de hornear
South — Sur
Stop — Pare
Yield — Ceda el paso
Speed Limit — Límite de velocidad
Kinderhook — Aldea infantil
New York City — Ciudad de Nueva York
McIntosh Apples — Manzanas McIntosh
Dried Apples — Manzanas secas
Apple Pies — Pasteles de manzana
Applesauce Cake — Tarta de manzana
Muffins — Panecillos dulces
Candied Apples — Manzanas acarameladas
Red Delicious Apples — Manzanas rojas
Rome Beauty — Rome Beauty
5 o'clock Closing Time — Cerramos a las cinco
The Big Apple — La Gran Manzana
My Apple Recipes — Mis recetas con manzanas
Apple Varieties — Variedades de manzanas
An apple a day keeps the doctor away — Una manzana cada día, el médico te evitaría
Cinnamon — Canela
Milk — Leche

Panecillos dulces de manzana

1/2 taza de azúcar
1/4 taza de mantequilla
1 huevo
1 taza de leche
2 tazas de harina
1/2 cucharadita de sal
2 cucharaditas de polvo de hornear
1 cucharadita de canela
1/2 cucharadita de pimienta inglesa
1/2 cucharadita de nuez moscada (opcional)
1 1/2 taza de manzanas peladas y cortadas

Remate

1/4 taza de azúcar morena
1 cucharadita de canela

Mezcla el azúcar y la mantequilla. Añade el huevo y bate todo bien. Luego, añade la leche. En otro bol, mezcla la harina, la sal, el polvo de hornear y las especias. Añade la mezcla de huevo a la de harina y mézclala hasta que quede húmeda. (La mezcla quedará grumosa.) Añade las manzanas a la masa y mézclala con cuidado. Engrasa bien los moldes de hojalata y vierte la mezcla. Espolvoréala con azúcar y canela. Hornéala a 400° F durante 20-25 minutos, hasta que adquiera un color dorado marrón. Tendrás una docena de panecillos dulces.

Compota de manzana

4 manzanas medianas
1/2 taza de agua
1/2 taza de azúcar (aproximadamente)
1/2 cucharadita de canela

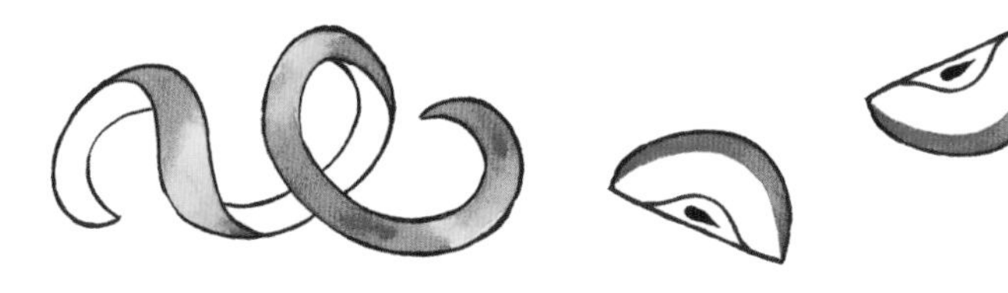

Lava las manzanas, pélalas, quítales el corazón y córtalas en pedazos. Calienta las manzanas en el agua y cuando rompa el hervor, reduce el fuego. Cubre el recipiente y cocínalas lentamente hasta que estén blandas y suaves. Añade azúcar al gusto (alrededor de 1/2 de taza). Continúa cocinándolas hasta que el azúcar se disuelva. Para añadir más sabor, añade 1/2 cucharadita de canela. Para que la compota quede más fina, cuela la mezcla a través de un colador o tamiz.